はなのつくり

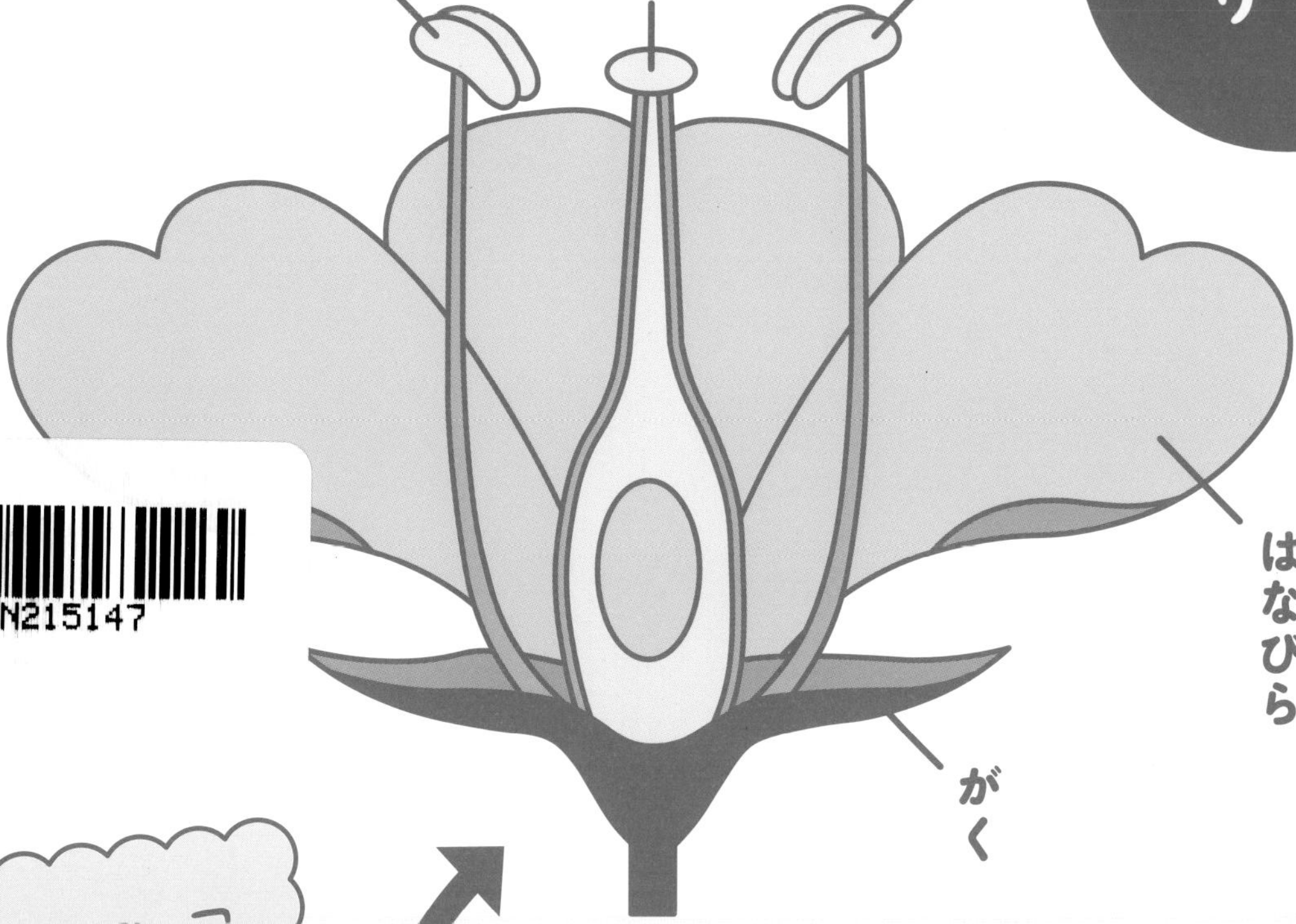

「つぼみ」が ひらくと 「はな」に なる！

つぼみのつくり

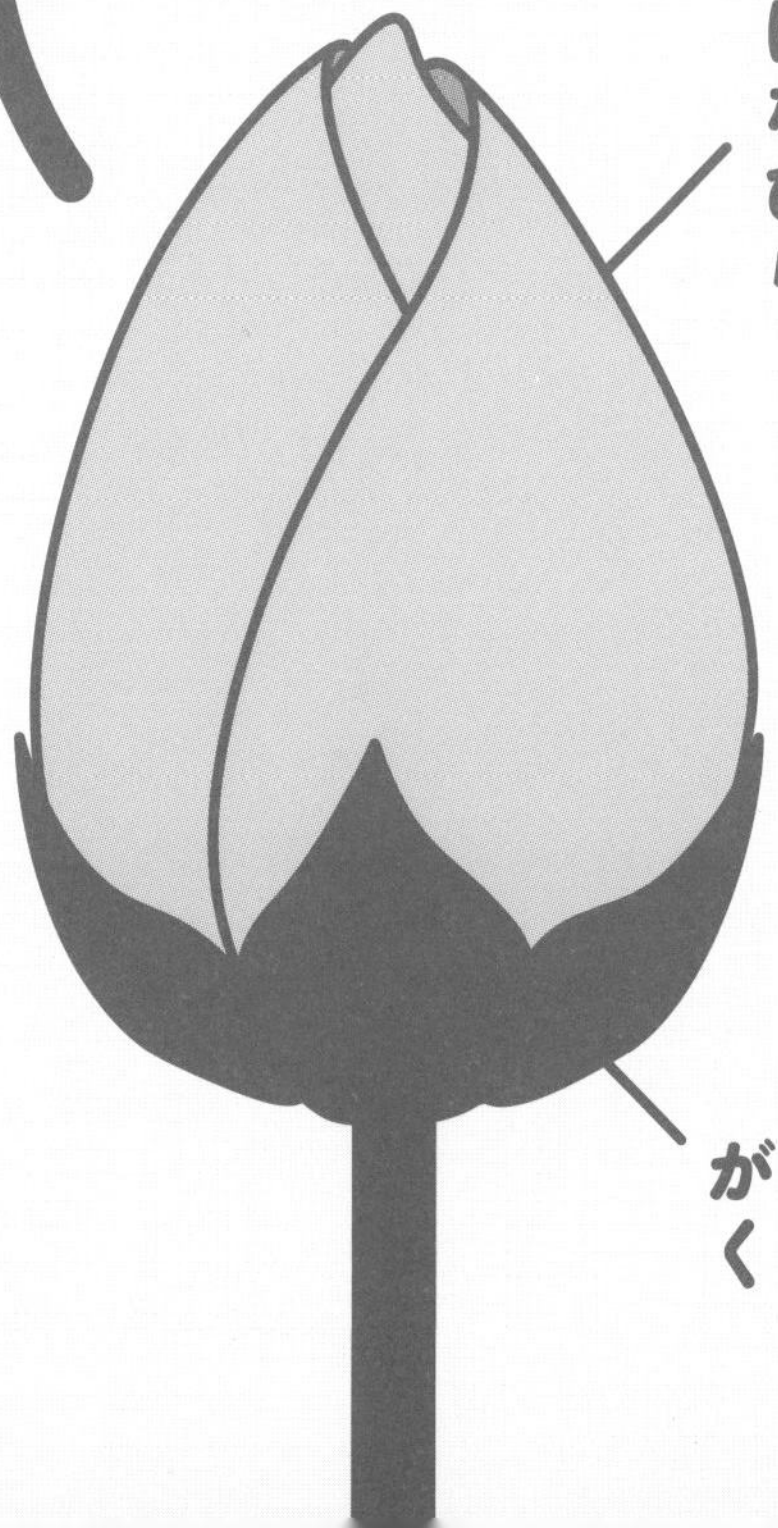

がくは はなびらの そとがわに ある。 がくが ない はなも ある。

かさなりあった はなびらの なかに めしべと おしべが はいって いるよ。

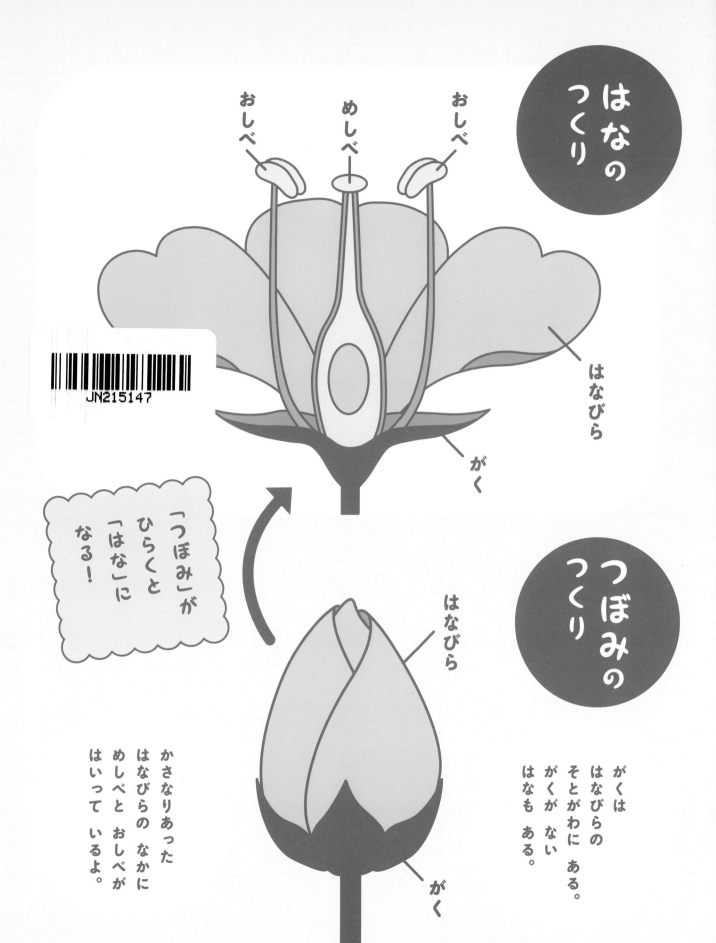

はじめに

さむい　ふゆが　おわって　あたたかく　なると、
たくさんの　しょくぶつが、つぎつぎに　めを　だします。
はるから　なつの　はじめごろ　までが、
いちねんの　うちで、いちばん　おおくの　はなに　であえます。
この　ほんでは、はるに　みつかる
いろいろな　しょくぶつの、つぼみを　しょうかいします。
「どんな　はなが　さくのかな？」と
そうぞうしながら　よんで　みて　くださいね。

なんのつぼみ？

はる

もくじ

なんの つぼみ？ 1

はっぱの ねもとに
ちいさな
まるい つぼみが
かくれて いるよ。

なんの つぼみ かな？

みちばたや こうえんで みつかるよ

ひらく ところを みて みよう

はじめは
くきが
みじかい。

ほそながい
はっぱのような
ものに
つつまれて いるよ

だんだん
つぼみが
おきあがって
くる。

くき

くきが のびて
きいろの はなも
みえて きた！

たんぽぽの はなが さいた！

たんぽぽを じっくり みて みよう!

さいて なんにちか たった はな
さき おわった はな
わたげが できて きた!
さいた ばかりの はな
つぼみ

これから ひらく ところ
そとがわが さきに ひらく

ひとつの たんぽぽから、いくつもの つぼみが でて くるよ。

たんぽぽは、たいようの ひかりが よく あたる あかるい ばしょで みつかるよ。

わたげには
たねが
ついている！

しぼんだ
はなは
いちど　たおれる。
わたげが　できると
すうじつかけて
たちあがるよ。

なまえは
しろばな
たんぽぽ

むかしから
にほんに　ある
たんぽぽの
なかには
しろい
たんぽぽも　ある。

まめちしき

しゅるいに
よって
がくの　かたちが
ちがうよ。

ほそい
はっぱのような
もの（がく）は
ぴたっとして　いる

にほんの　たんぽぽ

そりかえって　いる

がいこくから　きた
たんぽぽ

なんの　つぼみ？ 2

ピンク《ぴんく》いろの
つぼみが
えだの　さきに
たくさん　ついて　いるよ。

とっても
たくさんの
つぼみ！

郵便はがき

101-0062

おそれいりますが切手をおはりください。

〈受取人〉

東京都千代田区神田駿河台2－5

株式会社 理論社

読者カード係 行

お名前（フリガナ）

ご住所 〒 TEL

e-mail

書籍はお近くの書店様にご注文ください。または、理論社営業局にお電話ください。

代表・営業局：tel 03-6264-8890 fax 03-6264-8892

理論社

https://www.rironsha.com

ご愛読ありがとうございます

読 者 カ ー ド

●ご意見、ご感想、イラスト等、ご自由にお書きください。

●お読みいただいた本のタイトル

●この本をどこでお知りになりましたか？

●この本をどこの書店でお買い求めになりましたか？

●この本をお買い求めになった理由を教えて下さい

●年齢　　　歳　　　　　　　　　●性別　男・女

●ご職業　　1. 学生（大・高・中・小・その他）　　2. 会社員　　3. 公務員　　4. 教員
　　　　　　5. 会社経営　　6. 自営業　　7. 主婦　　8. その他（　　　　　　　　）

●ご感想を広告等、書籍のPRに使わせていただいてもよろしいでしょうか？
（実名で可・匿名で可・不可）

ご協力ありがとうございました。今後の参考にさせていただきます。
ご記入いただいた個人情報は、お問い合わせへのご返事、新刊のご案内送付等以外の目的には使用いたしません。

なんのつぼみかな？

がっこうやこうえんでみつかるよ

ひらく　ところを　みて　みよう

はじめに
きみどりいろの
はなめが
でて　くる。

はなめ
（そだつと
はなに
なる　ところ）

はなめから
じくが
のびて　くる。

じくが
ながく　のびて
はなびらが
ふくらんで
きた！

さくらの
はなが さいた！

さくらを じっくり みて みよう！

はなびらは ごまい
さきが われて いるよ

ひとつの はなめから
いくつかの はなが さくよ。

よく みかける しゅるいの
ソメイヨシノ《そめいよしの》と いう さくらは、
はなが ちる ころに
はっぱが でて くるんだ。

じくは ながくて こまかい けが はえて いる

さいて　すぐは
しろっぽい。
ちる　ころに　なると
はなの　まんなかが
こい　ピンク《ぴんく》いろに
なる。

かわの　どてや
がっこうや、
こうえんなどに
うえられて　いる。
あたたかく　なると
いっせいに　さくよ。

まめちしき

はなびらの
かたちで
みわけよう！

はなびらは
ほそながい

われて
いる

さくら

はなびらは
まるい

うめ

なんの つぼみ？ 3

こめつぶのような
ちいさな
ほそながい つぼみが
いっぱい ついて いるよ。

はたけや
どてで
みつかるよ

なんのつぼみかな？

ひとつひとつはおこめのつぶのようなかたち！

ひらく　ところを　みて　みよう

みどりいろの
つぼみが
きいろに
なって
いくよ。

そとがわの
つぼみが
ふくらんで
ひらきそう！

じくが　のびて
そとがわの
はなが
さきはじめた。

つぎつぎに
はなが
ひらいて
いくよ。

なのはながさいた！

なのはなを じっくり みて みよう!

どんどん くきが のびて
あたらしい つぼみが できるよ
はなは くきの てっぺんで さく
はなが おわると
さやが できる

くきの みぎと ひだりに
はなが ついて、
したから うえへ
じゅんばんに さいて いくよ。
さきおわった ところから
さやが できて いくんだ。

はなびらは
よんまい

だんだん さやが
ふとって いって
なかの たねが
そだつよ。

いちめんに
さいた
なのはな ばたけは
はるを しらせる
けしきの ひとつ。

まめちしき

いろいろな
やさいが
なのはなの
なかま。
よく にた
きいろの
はなが さくよ。

きゃべつ

はくさい

こまつな

なんの つぼみ？ 4

いっぽんの くきの
てっぺんに
おおきく ふくらんだ
つぼみが ひとつ。

なんのつぼみかな？

にわやこうえんのかだんでみつかるよ

ひらく ところを みて みよう

おおきな
はっぱの
なかに
つぼみが
かくれて
いるよ。

くきと
はっぱが のびて
つぼみが
あがって きた！

いろづき
ながら
ふくらんで
いくよ。

チューリップ《ちゅうりっぷ》の

はなが さいた！

チューリップ《ちゅうりっぷ》を じっくり みて みよう！

そとがわに さんまい、
うちがわに さんまい。
あわせて ろくまいの
はなびらが ある
そとがわの
はなびらは、
がくが
へんかした もの

あさ、
ひが のぼって
あたたかく なると
はなが ひらいて、
ゆうがたに なると、 とじる。

「ひらいて とじる」を
なんにちか くりかえすと
はなびらが ちるんだ。

がくが
ない

チューリップ《ちゅうりっぷ》の
はっぱは
かさなりあわず
ひろがって
そだつから、
たいようの ひかりが
たくさん あたる。

はるの
かだんでは
いろいろな いろや
かたちの
チューリップ《ちゅうりっぷ》に
であえるよ。

まめちしき

チューリップ《ちゅうりっぷ》には
たくさんの
しゅるいが ある。

さきが とがって いる

ユリ《ゆり》ざき

ぎざぎざ！

フリンジ《ふりんじ》ざき

はなびらが おおい

やえざき

はるの き の つぼみ

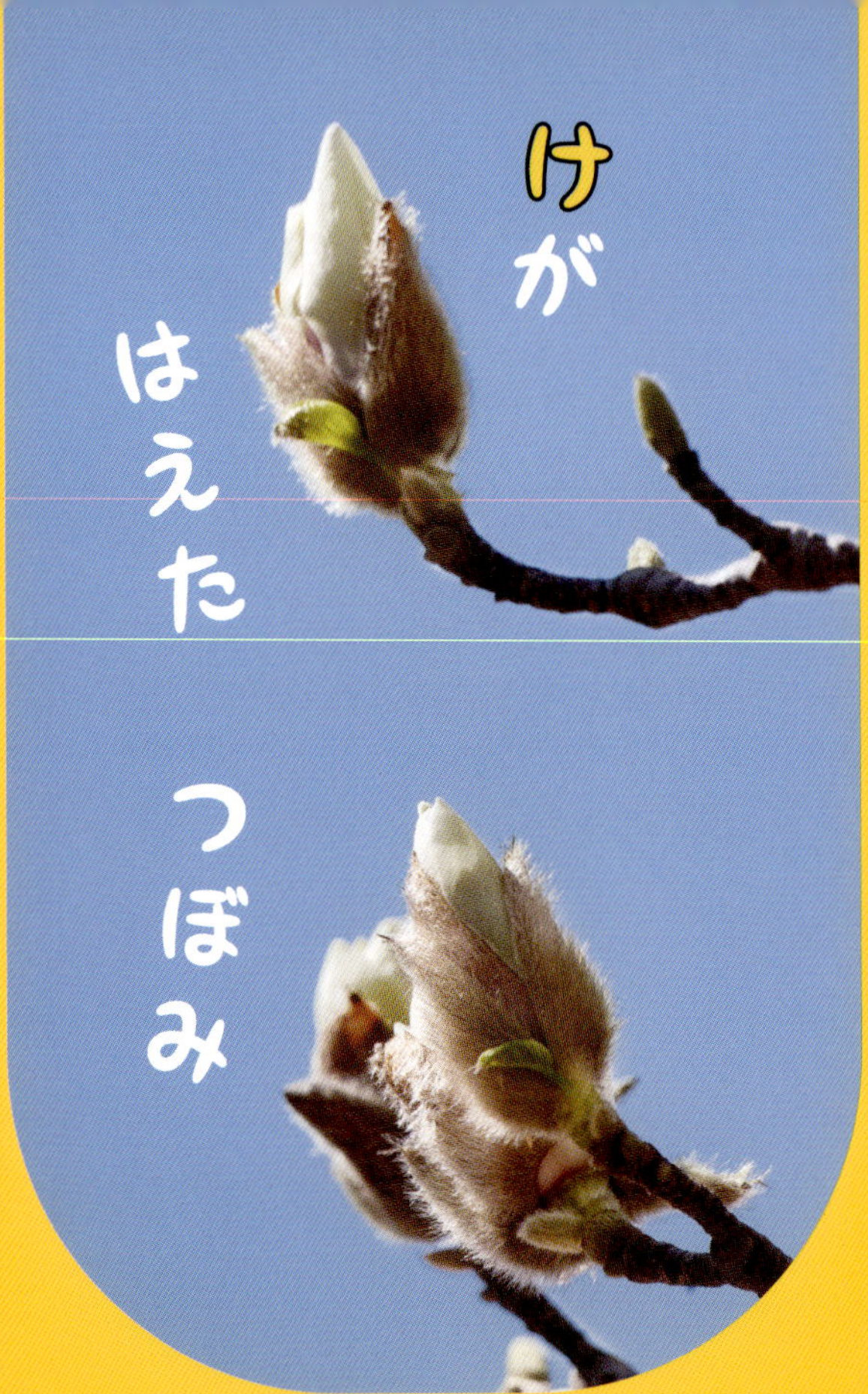
けが
はえた
つぼみ

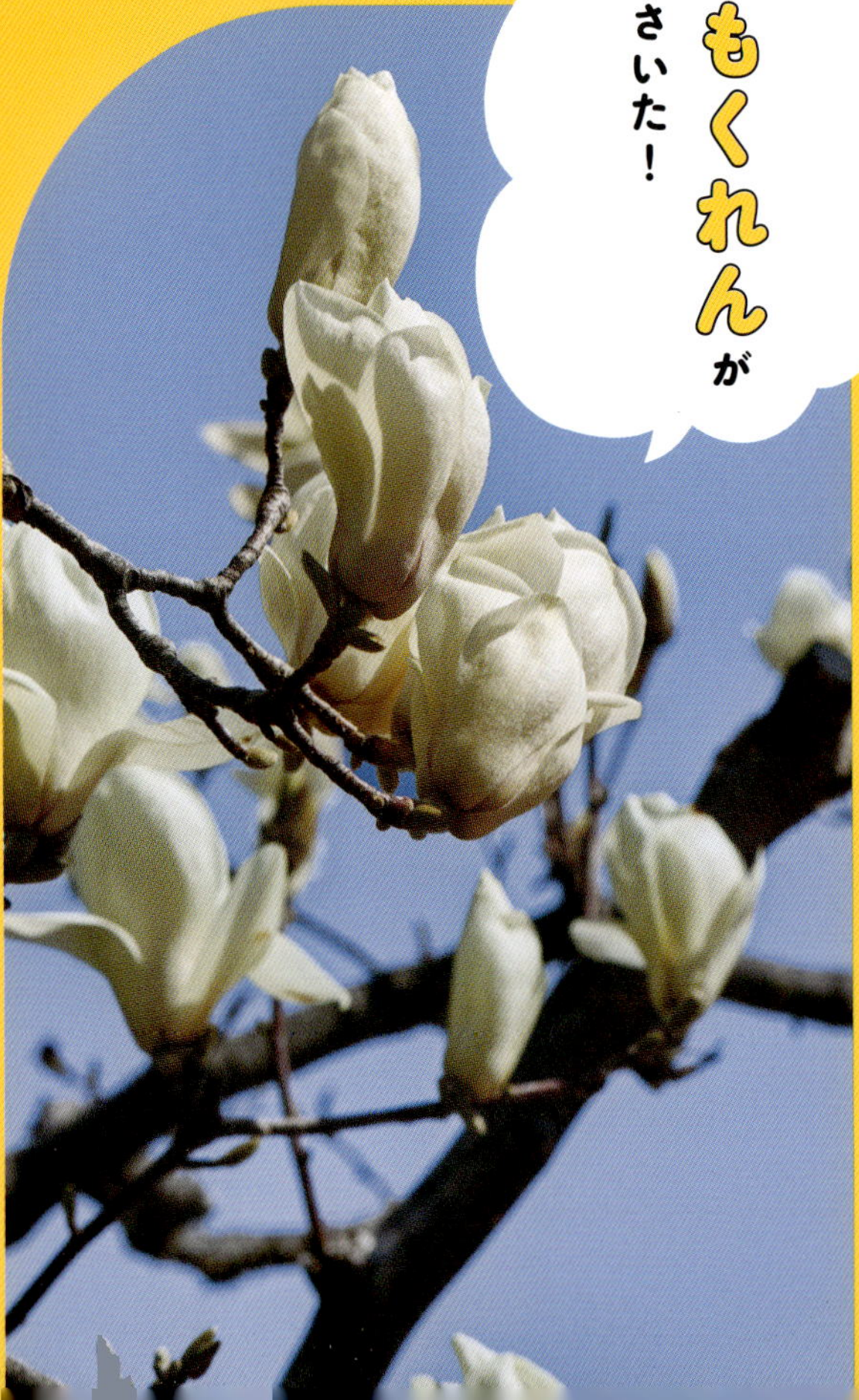
もくれんが
さいた！

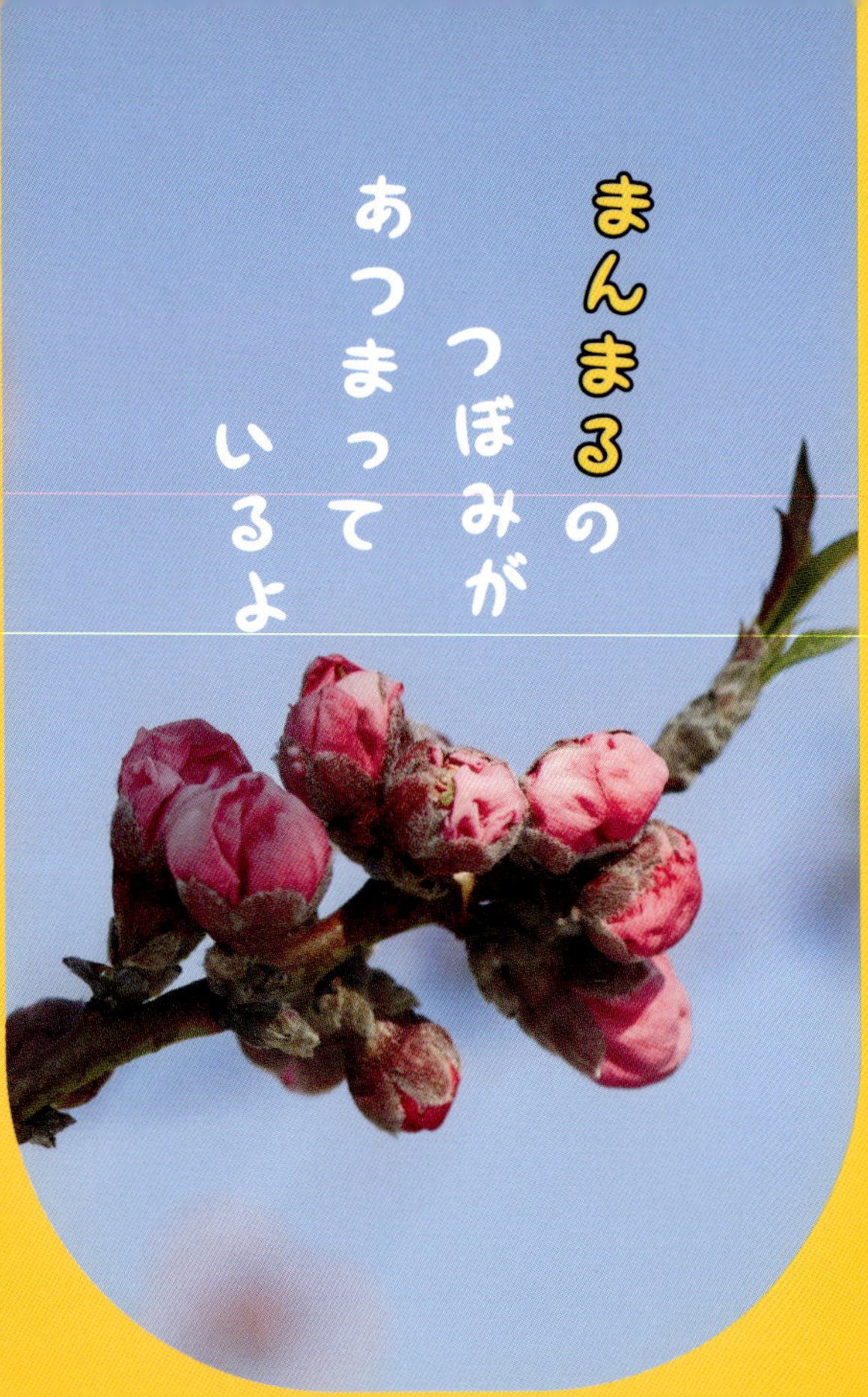
まんまるの
つぼみが
あつまって
いるよ

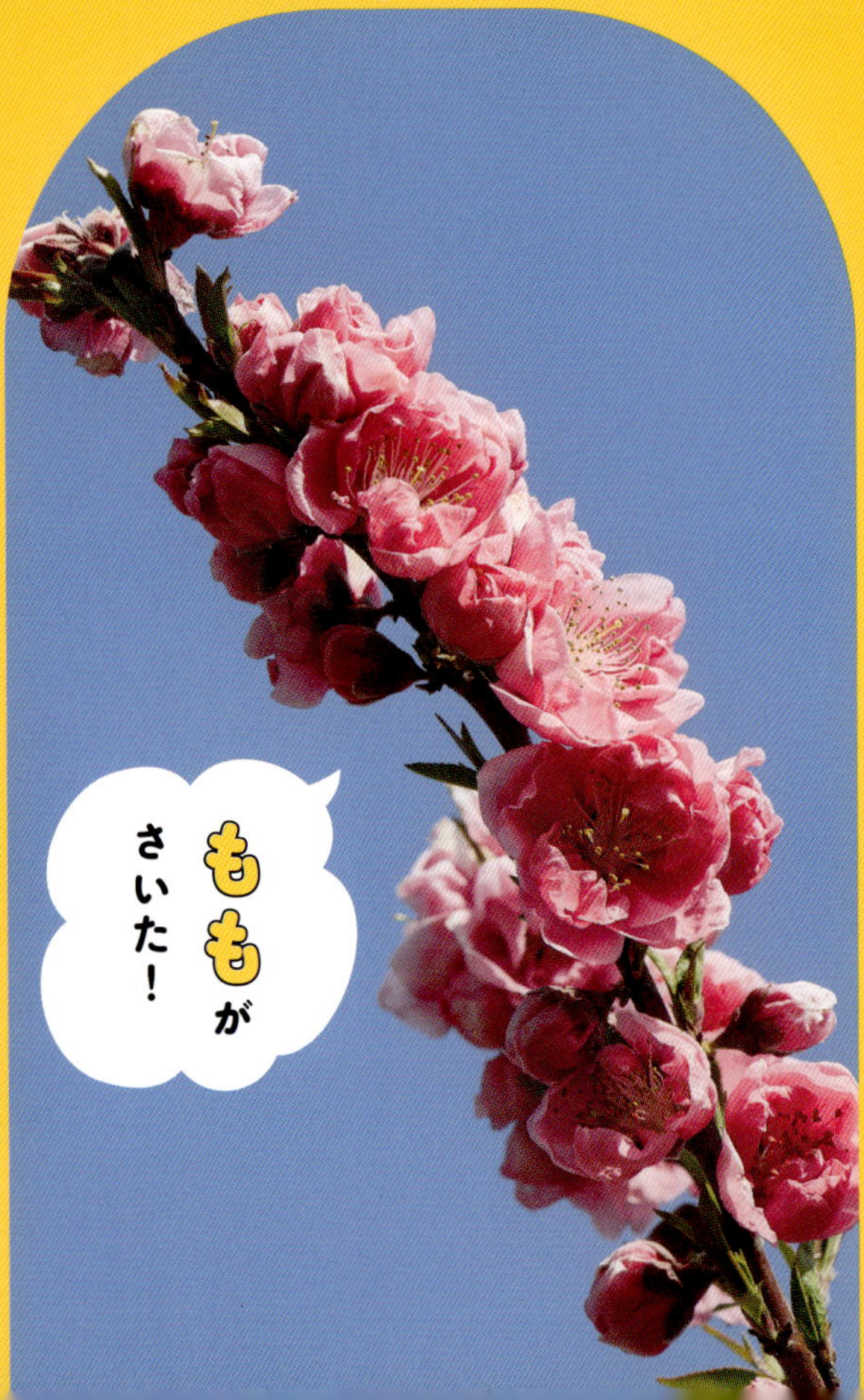
ももが
さいた！

ながい
ふくろのような
つぼみ

たれさがった
つぼみ
ちいさな
つぶつぶが
いっぱい！

つつじが
さいた！

ふじが
さいた！

はるの かだん の つぼみ

けが
びっしり！

ポ《ぽ》ピ《ぴ》ー《い》が
さいた！

びっしりと
あつまった
まるい
つぼみ

すずらんが
さいた！

さんかくの
とても ちいさな
つぼみ

ネ《ね》モ《も》フ《ふ》ィ《い》ラ《ら》が
さいた！

はなびらが
たくさん
かさなった
りっぱな
つぼみ

ぼたんが
さいた！

はるの のやま の つぼみ

むらさきいろの うつむいた つぼみ

ちいさな つぼみが あつまって たまに なって いるよ

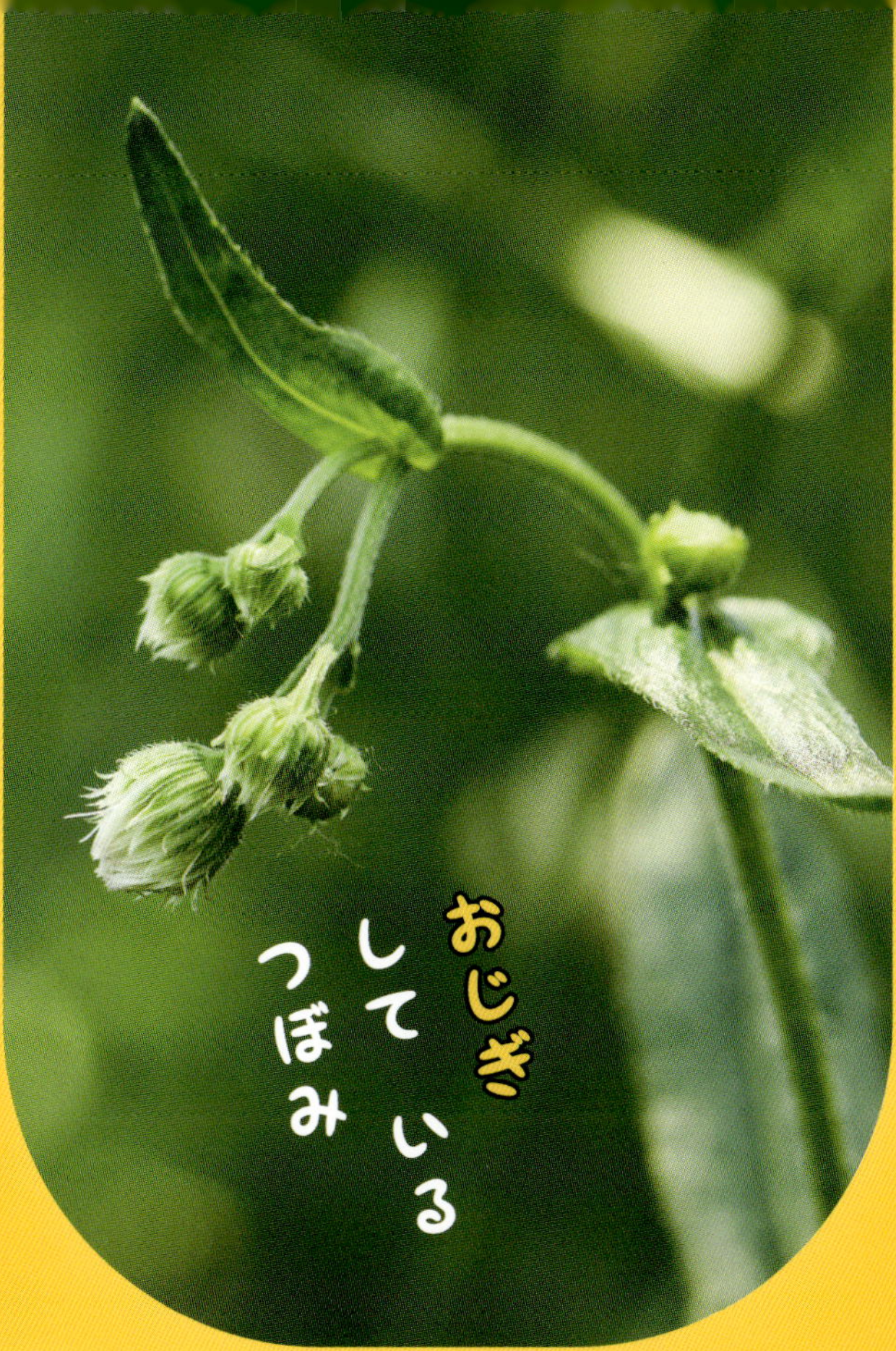
おじぎ
している
つぼみ

はるじおんが
さいた！

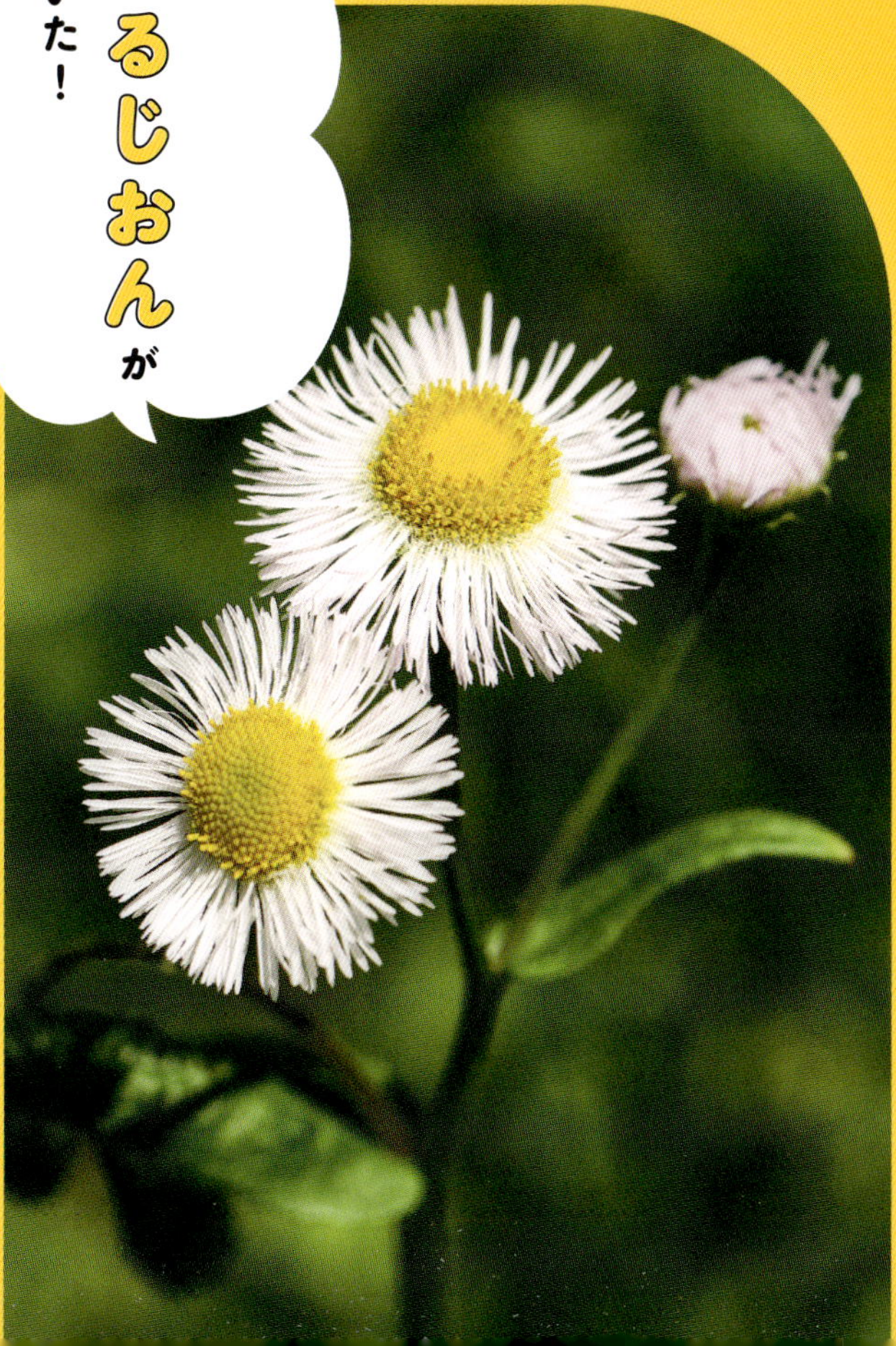

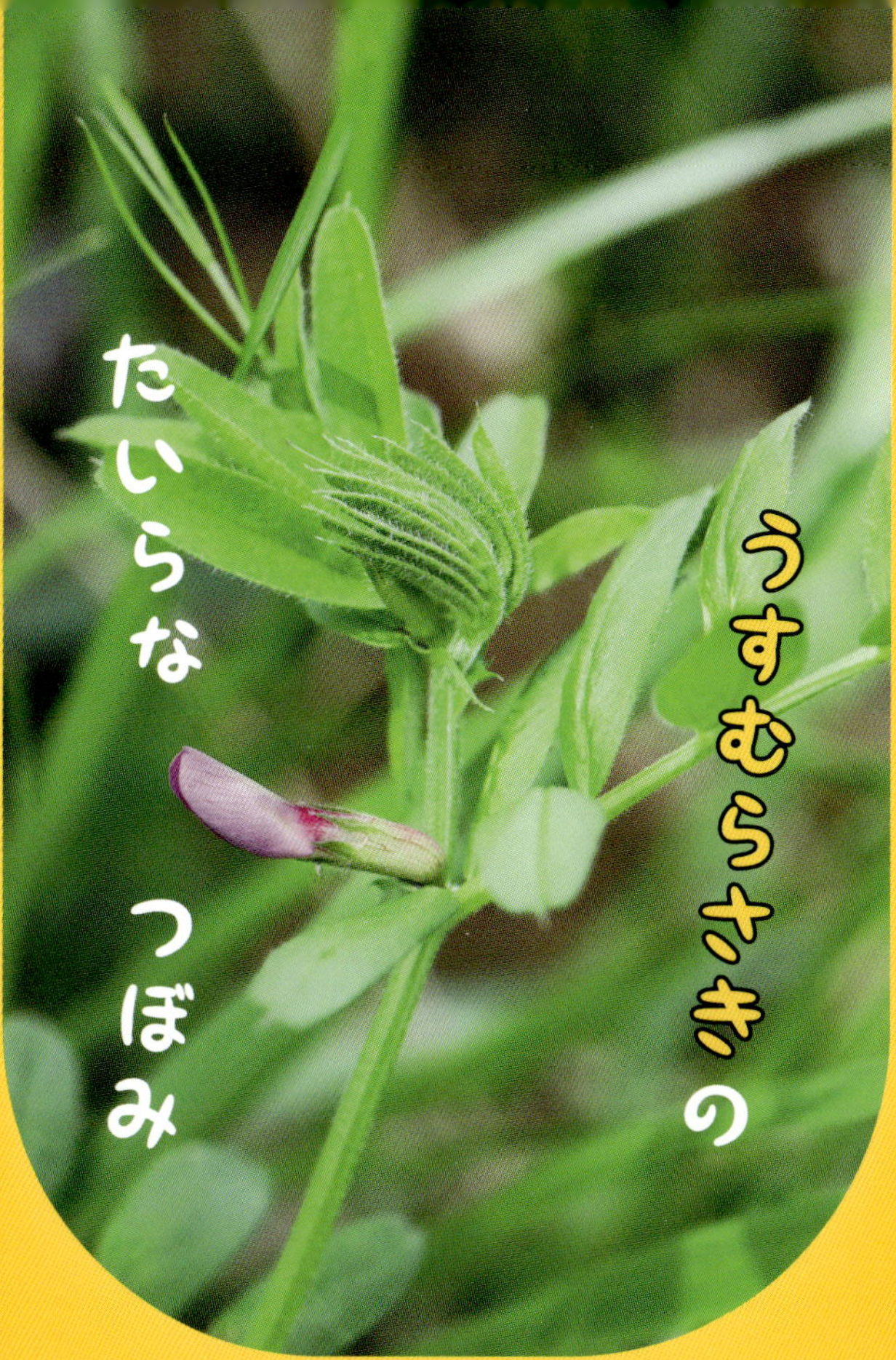
うすむらさきの
たいらな
つぼみ

からすの
えんどうが
さいた！

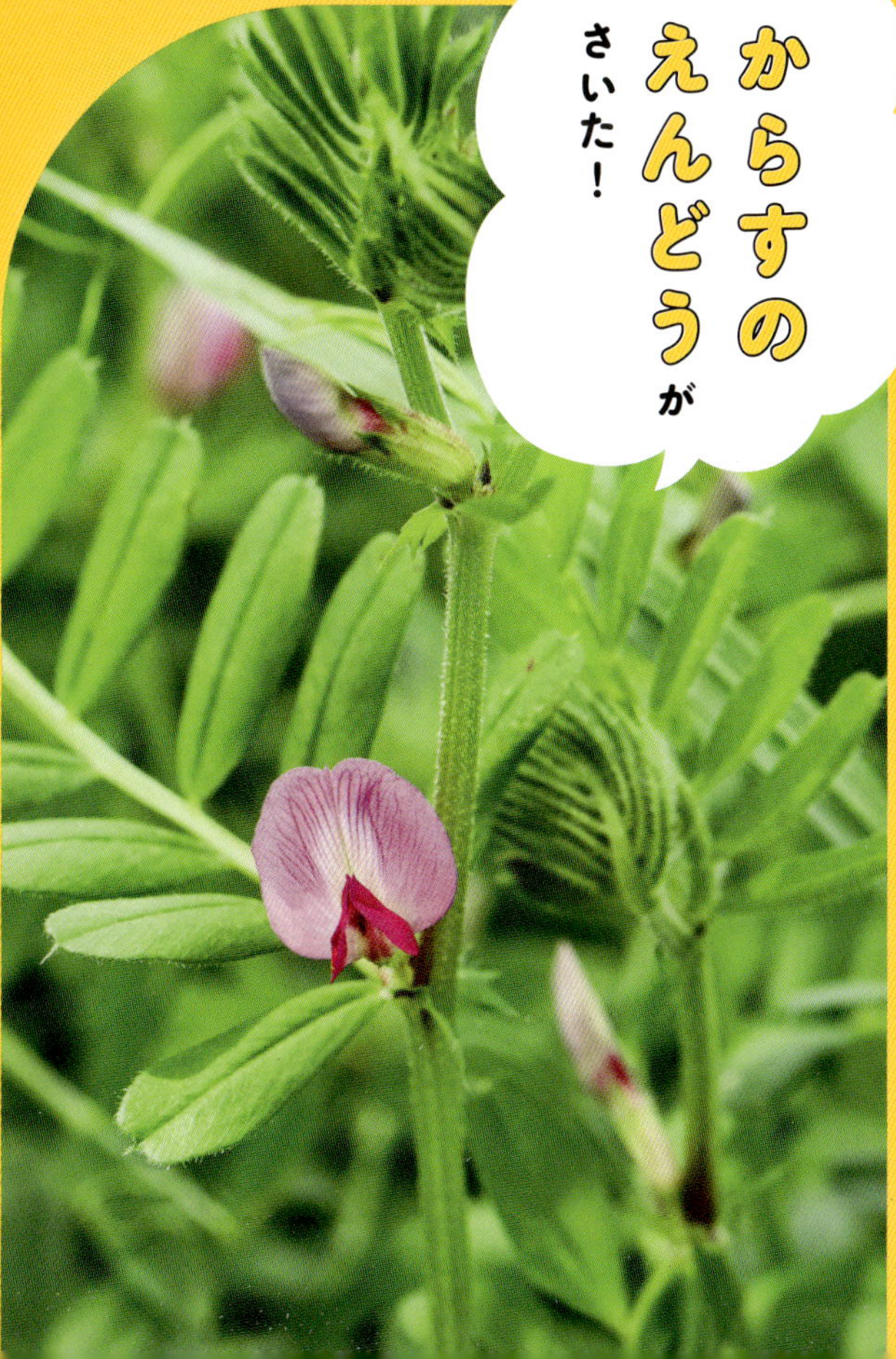

あしもとを
さがして
みよう！

とても ちいさな はるの つぼみ

おおいぬのふぐり

はこべ

はるに なると、
こうえんや みちばたで
いろいろな はなが
さきはじめるよ。

あおい はなが さく
おおいぬのふぐりや、
しろい はなが さく
はこべは つぼみが
とても ちいさいので、
あしもとを よく
さがしてみよう。

✿ 監修　小池 安比古（こいけ・やすひこ）

プロフィール

東京農業大学 農学部 教授。専門は花卉園芸学、人間植物関係学。JFTD学園日本フラワーカレッジ非常勤講師も務める。監修書に『色と形で見わけ 散歩を楽しむ花図鑑』ナツメ社、『かわいい花（学研の図鑑LIVE petit）』学研プラス、『東京植物図譜の花図鑑1000 花の仲卸さんが作った「花図鑑」』日本文芸社、『はじめてのずかん しょくぶつ』高橋書店、『読んで楽しむ 草花の事典』成美堂出版。

✿ 写真　平石 順一（ひらいし・じゅんいち）

プロフィール

東京で生まれ、島根県で育つ。写真スタジオを経て独立。写真歴三十五年。書籍、雑誌、ウェブなどで撮影を行う。日本各地の自然の景観や四季折々の温泉などを多数撮影。植物を撮る時には、花の色彩や質感、肉眼ではわかりにくい形を、写真を通して鮮明に表現できるよう工夫している。この本を通じて、つぼみから花へだんだん形や色を変えていく植物のおもしろさや美しさを感じてもらえたらうれしい。

✿ 参考資料

『色と形で見わけ 散歩を楽しむ花図鑑』ナツメ社

『かわいい花（学研の図鑑LIVE petit）』学研プラス

『東京植物図譜の花図鑑1000 花の仲卸さんが作った「花図鑑」』日本文芸社

『はじめてのずかん しょくぶつ』高橋書店

『読んで楽しむ 草花の事典』成美堂出版

『子どもと一緒に見つける 草花さんぽ図鑑』永岡書店

『見わけがすぐつく花図鑑』成美堂出版

『道草ワンダーランド』NHK出版

『タンポポ ハンドブック』文一総合出版

『つぼみたちの生涯 花とキノコの不思議なしくみ』中央公論新社

きせつの つぼみを みつけよう！
なんの つぼみ？　はる

監修　　小池安比古
写真　　平石順一
デザイン　パパスファクトリー
校正　　宮澤紀子

発行者　鈴木博喜
編集　　大嶋奈穂
発行所　株式会社 理論社
　　　　〒101-0062　東京都千代田区神田駿河台2-5
電話　　営業 03-6264-8890　編集 03-6264-8891
URL　　https://www.rironsha.com

2025年1月初版発行　2025年1月第1刷発行

印刷　光陽メディア　製本　東京美術紙工
上製加工本

©2025 Rironsha, Printed in Japan
ISBN978-4-652-20664-5　NDC471
A4変型判　27×22cm　32P

※落丁・乱丁本は送料小社負担にてお取替え致します。本書の無断複製（コピー・スキャン、デジタル化等）は著作権法の例外を除き禁じられています。私的利用を目的とする場合でも、代行業者等の第三者に依頼してスキャンやデジタル化することは認められておりません。

つぼみの かんさつ カード《かあど》

なまえ

みつけたのは　　　　の つぼみ

ひづけ　　がつ　　にち（　　ようび）

じかん　　じごろ

●いろ、かたち、おおきさ、におい、
つぼみの かず、どこで みつけたか、
くきに どんなふうに ついているかなど
かんさつして かいて みよう。

●つぼみの えを かいて みよう。

※この ページ《ぺえじ》を コピー《こぴい》して つかってね。